관심과 사랑 정말이
항상 감사드립니다!

GARBAGE TIME

DASAN
COMICS

CONTENTS

GARBAGE TIME

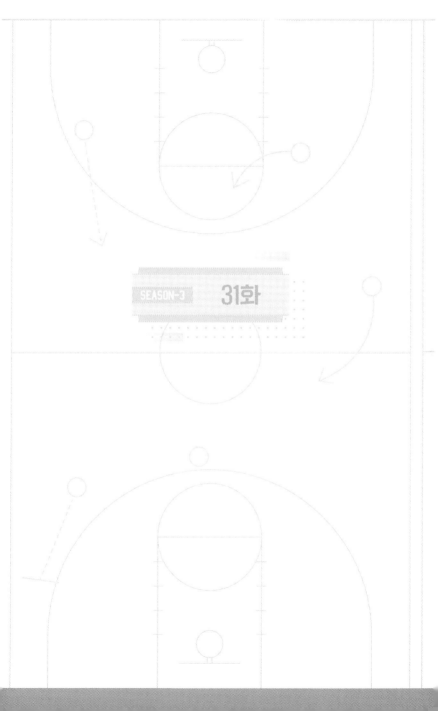

GARBAGE TIME

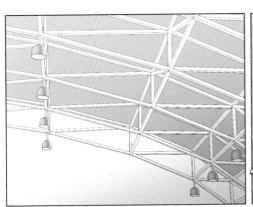

굿굿!

이규
나이스 패스다!

: 35
장도고   원중고
1
4 : 11

오늘은 최종수가
작정하고 패스만
돌리려는 모양이네.

수비가 자기한테
쏠릴 게 뻔하니까
그걸 역이용하겠다는 거
같은데.

생각보다
장도고 생산력이
별로…

…라기보단

조재석이
미쳤네, 그냥.

지난 맞대결,
지국민은 노수민을 상대로
전반에만 18점을 넣었고

같은 경기 후반전,
노수민은 지국민을
2점으로 묶었다.

저 둘은
서로에게

호적수!

쿡!

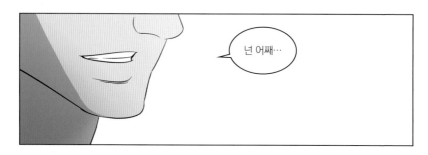

넌 어째…

지난번이랑 달라진 게 없는 모양이네. (^-^)

뭐라고?

노수민은

상호와
비슷한 타입으로
보인다.

상대를
마주하면
마주할수록

디펜스가
단단해지는….

야, 규야~

슛 안 들어가는 거 같은데
나 좀 줘봐.
쉽게 쉽게 가자며?

지금은 내가
넣는 게 제일
쉬운 방법이라고.

기다려봐,
인마.

몇 개만 더
던져보고.

아오
짧다, 이거.

리바!

특히
심판의 콜이
하드한 게임에선

크윽!

이거 파울 아녜요!?

팔 너무 쓰는데….

이게 파울?

이 정도 몸싸움은 인정해줘야 농구지!

너네도 똑같이 해.

얼마든지 받아줄 수 있으니까.

이휘성 정도니까 임승대를 상대로 저만큼 버티는 거지

애초에 고등부에서 임승대를 일대일로 상대할 수 있는 건

강인석 정도밖에
없어.

그래도

절대 못 막을
정도는 아이다.

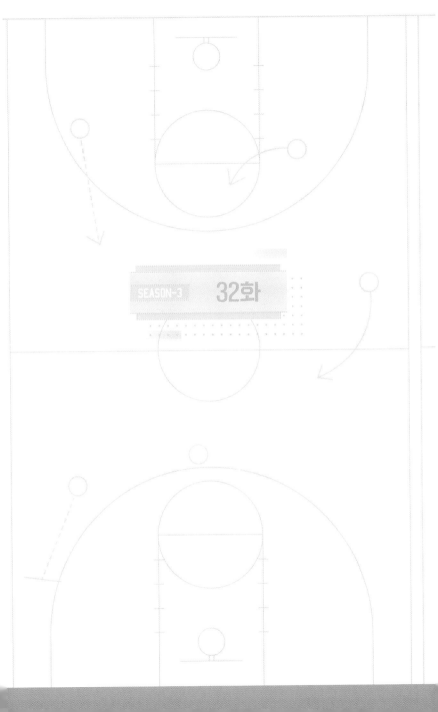

SEASON-3 32화

GARBAGE TIME

그게 무슨 막는 방법이에요?

우린 교체 멤버도 별로 없어가 파울 몇 개 하지도 못하는데.

아니, 중요할 때만 조금씩 하면 된다 아이가?

일일이 기록하고 그랬던 거는 아인데

점마

체감상 자유투 4할 겨우 넘기는 느낌이었다고.

자유투 하나 실패!

아~~~

리바!

05 : 01

ㅏ도고   원중ㄱ

1

9 : 15

와, 4할대면은
거의 태성 햄급인데.

아 뭐라노
븅X이…!

상승

지 상

그나저나
재유.

뭐 달라진 거는
없는 거 같제?

뭐가요?

임승대.

근데 임승대는 막는 것도 막는 건데, 뚫는 건 또 어떡해요?

높이가 엄청난데….

저래 크고 육중한 놈은 슛 떤져가 밖으로 끌어내야지.

안에서 하려면 답 없다.

강인석이 그래 해가 임승대 상대로 잘했다 하대.

게임은 당연히 졌지만

아니, 인석 행님은 3점이 있잖아요!

우리 빅맨들은 자유투도 없는데!

X랄 ㄴ. 내가 자유투 님보단 잘 떤짐.

삼송

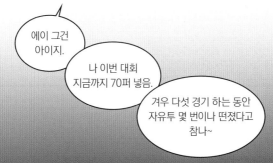

에이 그건 아이지.

나 이번 대회 지금까지 70퍼 넣음.

겨우 다섯 경기 하는 동안 자유투 몇 번이나 떤졌다고 참나~

와아아아악!!!

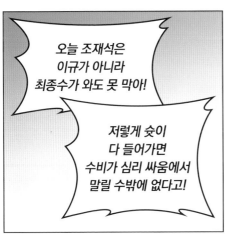

야, 조재석한테 벌써 12점이 뭐야?

저렇게 시도 때도 없이 막 던져대는 걸 어떻게 예상하고 막아?

잘 좀 막아봐.

어쩔 수 없어, 저런 건.

1쿼터 만에 10점 차…

이번엔 진짜 장도고한테 위험하게 흘러가고 있는데도…

이상하게 침착해 보인단 말이지.

전영중이
힘든 상대긴 하지?

저번 대회 이후로
꽤 유명해졌더군.

최종수를 20점대로
막은 녀석으로 말야.

나야 뭐, 말도 안 되는
소리라 생각한다만

본때를
보여주고 와.

야.

오른쪽으로
가다가

멈춰서
점프슛.

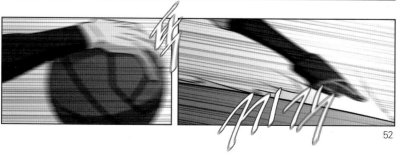

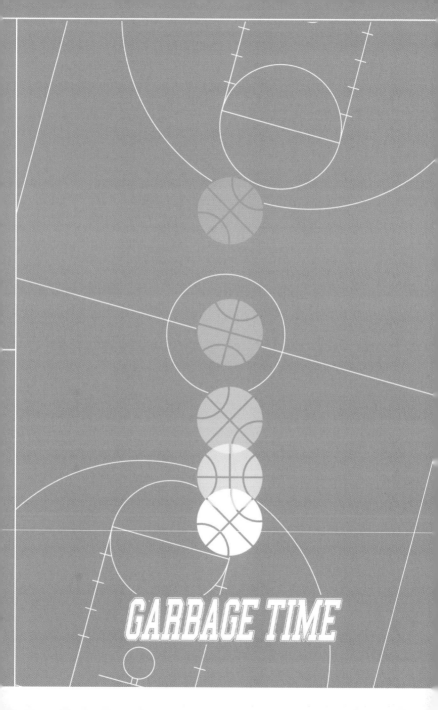

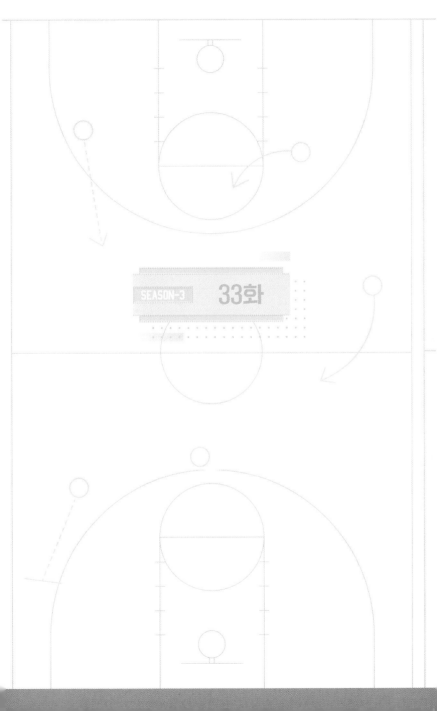

SEASON-3　　33화

GARBAGE TIME

와, 미친…!

전영중을

녹여버렸어!

많은 사람들이
궁금해하더군.

재차 얘기하지만
최종수를 더블팀 하고
이규에게 슛을 몰아줬던 것 외에
다른 특별한 비법은 없었다.

지난 대회에서
최종수를 21점으로
억제한 방법에 대해.

그리고

경기에서
졌지.

그날 이규가
3점슛 일곱 개를
시도해서 다섯을
넣었거든.

최종수의
21득점이라는
기록만을 본 사람들의
착각이지.

너도 그때
경기를 봤다니
알겠지만

우리,

그리고
전영중은

최종수를
억제한 적이
없다.

08 : 15

2

23 : 31

나이스 샷!

그 녀석 스스로 '자제'했던 것에 가깝지.

이미지와는 다르게

볼호그하곤 거리가 먼 녀석이거든.

06 : 33

E고   원클

2

28 : 35

3점 적중!

ime OUT

원중고 타임아웃!

최종수 야투 네 개
연속 성공…!

위험해지던 찰나였는데
적절한 타이밍에
타임아웃으로 잘 끊었어!

응?

우수진!?

버섯 사람 나옴!!!

전영중과 우수진으로 최종수를 집중 견제 하겠다는 건가?

하지만 원중고 공격이 엄청 빡빡해질 텐데….

공격에서 손해를 감수하면서까지 최종수의 흐름을 끊어보겠다는 거겠지.

우수진이 오래 뛸 거 같진 않아.

그래도 확실히…

저 둘이라면

엔간한 고등부
에이스들은

숨도 못 쉬게
만들 수 있을 기다.

일단 매치업은 우수진으로 보이지만

아마 전영중이 헬프를 적극적으로 하면서 사실상 이 대 일로 수비하겠지?

그래도 기대한다, 최종수!

이런 상황에서도 득점할 수 있어야 랭킹 1위지!

가운데로
판다!

가능한 한
내 쪽으로 최종수를
몰아줘.

이규한테
슈팅 찬스가
나든 말든

지금은

최종수를
막는 게
최우선이야.

최종수가
볼호그가 아니라고요?

내가 오히려
묻고 싶군.

왜 최종수를
볼호그라
생각하는 거지?

그야 강한 컨테스트를
앞에 두고 무리한 슛을
떤진다든가

수비 둘을 달고
떤진다든가 하는 플레이가
꽤 자주 있어갖고….

현성이.

너는
볼호그의 정의를
뭐라 생각하나?

정의요…?

그거는 뭐…

팀 전체 야투의…
일정 퍼센트… 비율 이상을
떤지는… 선수…

맞습니까…?

그걸 왜
나한테 묻는 거냐?

네 정의가 그렇다면
그런 거지.

하지만
내 정의는 다르다.

나는 볼호그를

'팀 공격에 해를 끼칠 만큼
슈팅을 독점하는 선수'

이렇게 정의한다.

나답지 않게
다소 추상적인 정의라
생각할 수 있겠지만

이 또한
데이터와 수치로 어느 정도
파악이 가능한 부분.

73

그럼 다시
질문하지―

―최종수는

슈팅을
독점해서

'NO'다.

강한 컨테스트
앞에서 슛을 던져도

수비 둘을 달고
슛을 던져도

패스를 돌려서
다른 팀원이 슛을
던질 때만큼의

남고상언 엄마 난
엄마 난 커서 최종
커서 최종수가 될
종수가 될래요! 엄
래요! 엄마 난 커
난 커서 최종수가
종수가 될래요! 엄
래요! 엄마 난 커
난 커서 최종수가

게다가
바스켓카운트!

06 : 02

장도고   원중고

2

30 : 37

앤드원이다!

아이고,
결국 파울까지
해버렸네.

최종수를 수비하기
힘든 이유 중 하나가
저거라니까.

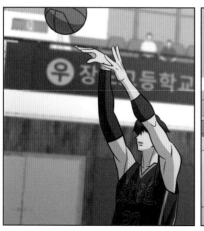

높은 자유투
성공률.

덕분에
파울로 플레이를
끊기가 부담스럽다고.

06 : 02

장도고   원중고

2

31 : 37

최종수의 올해
공식 경기 자유투
성공률은 88퍼센트.

단일 대회로 한정하면
90퍼센트를 넘겼던 적도
종종 있다.

최종수에 관한
데이터라면 뭐든
가지고 있어.

고등부 감독이 돼서
그 녀석을 분석하는 데에
시간을 다 썼거든.

그 때문에 너희에 대한
분석이 부족해서 뜻밖의 패배를
경험하기도 했지.

81

하지만 후회하진 않는다.
한정된 시간 자원을 우승을 위해
최종수를 분석하는 데에
투자했을 뿐.

그건 방심이 아니라
선택과 집중의 결과였다.

…혹시 그 데이터,

공유해주실 수
있습니까?

최종수가
폭발하기 시작한
지금 시점에도

장도고가
쉽사리 점수 차를
좁히지 못하는 이유는

조재석이

최종수와 비슷한
공격 효율을 보여주는
덕분이겠지.

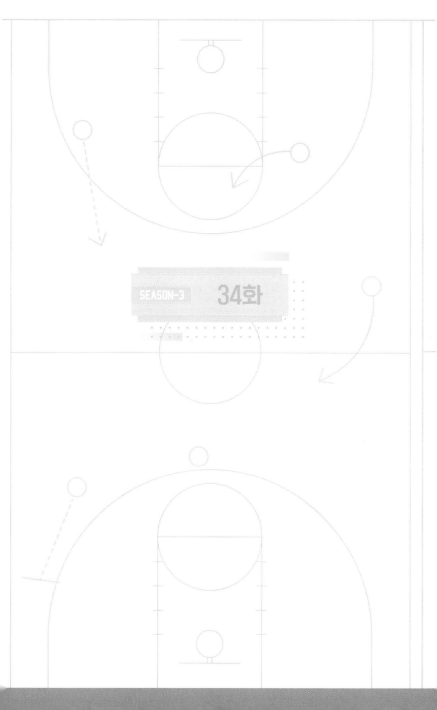

SEASON-3 34화

GARBAGE TIME

역시 조재석…

득점하기
편한 상황도 아닌데
잘해주네.

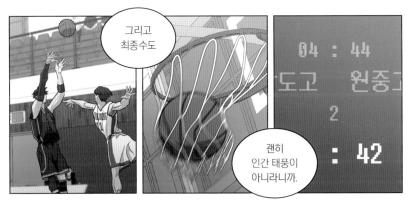

그리고
최종수도

괜히
인간 태풍이
아니라니까.

04 : 44

도고   원중고

2

: 42

저런 별명이
있어야 하는데…

망할
패트와 매X 같은 게
아이라…

'인간 볼케이노'
이런 거로다가….

'인간 황사' 어떰?

황사는 좀… 자연재해라기엔 느낌이 애매하잖아요….

그럼 '인간 가뭄'.

……

'인간 쓰레기'.

네…?

계속 일대일…

아이솔 비중이 엄청 높네요.

안 할 이유가 없지. 막질 못하는데.

최종수 스태미나만 무한하다면 경기 내내 일대일 하는 게 팀 득점이 제일 많이 나올걸?

기습
트리플팀!

잘렸다!

뛰어!

마무리!

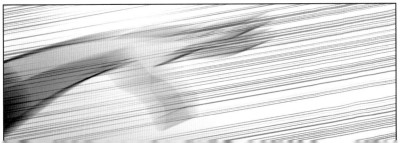

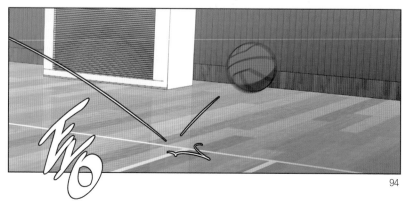

오우쒸!!!

턴오버 하자마자 저걸 쫓아와서 긁어내다니…!

우수진도 느린 버섯이 아닌데…!

그리고 우수진도

최종수 패스를 정확히 읽고 스틸했음!

여유시 수비 원툴로 원중고에서 인정받은 남자!

무적처럼 보이는 최종수도 결국 안일한 점프 패스로 턴오버를 저지르는 한낱 인간에 불과하단 걸 보여줬다 이거임!

아이씨
버섯맨…

성가셔.

손재주가
없는 건
아니었는데

어려서부터
친구들 사이에서
별명 하나 없이
지냈다.

별명을
가지고
싶었는데….

윽,
버섯같이
생겼어.

버섯맨.

흥

98

힝 ㅠㅠ

*블록을 피하기 위해 높은 각도로 던지는 슈팅.

최종수보다
조재석의 득점력이
위라는 거지!

조재석 벌써
19점째라고!

조씨 형제 재능도
최씨 가문에
밀리지 않는다
이거야!

참…

이런 표현은
싫어하지만

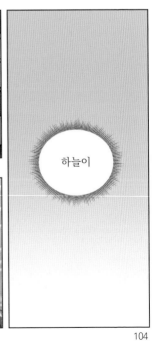

하늘이

마크맨이

최종수로…

근데도…

일대일 하려나본데!?

최종수를 상대로!?

굳이 무리할 필요까진 없다, 재석아!

아냐 아냐! 지금 숏감이면 할 만해!

보여줘!

106

기 싸움이지, 이건.

최종수를 상대로 점수를 만들어서 기세를 완전히 가져오려는 거야.

에이스들 간의 일대일은

그만한 무게가 있어.

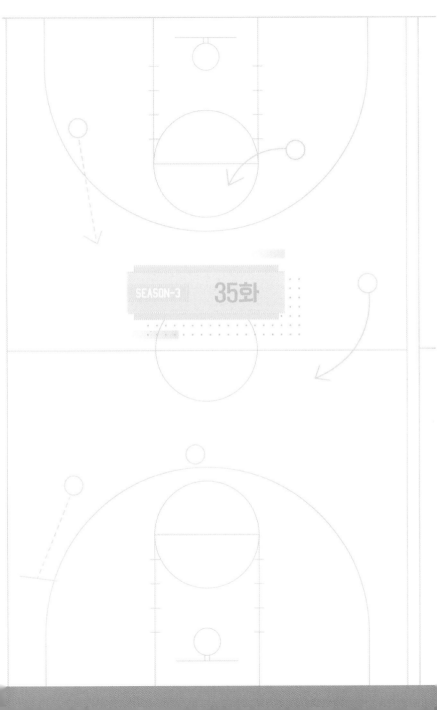

SEASON-3   35화

GARBAGE TIME

살렸어!

03 : 25

장도고   원중고

2

35 : 44

야, 페퍼로니.

나대지 마라.

죽는다.

네죄송해여

나대지않겠습니다

아니,
대체 어떻게
반응한 거임?

조재석의 그
뜬금포
딥쓰리를…

거리도 꽤 있었는데
거의 오이 보고 놀란
고양이 속도로 튀어 올라서
블록했음.

기상호였으면
넋 놓고 쳐다만 보고
있었을 거임.

그리고
실제로 그랬음

아 뭐래요
진짜….

상대가 조재석이니까
그 말도 안 되는 샷 셀렉션까지
예측 범위에
두고 있었나…?

아니면은…

순수 반응속도…?

119

천하제일은
결국

남고상언 최종수 그는 신인가
최종수 그는 신인가?최종수
종수 그는 신인가?최종수 二
수 그는 신인가? 최

그는 신인가? 최종

종수라고.

신인가? 최종수 二

원중고 오펜스의
기본 골자는

일대일 능력이 뛰어난
지국민이 인사이드에서
수비를 집중시키면

조재석이
아웃사이드에서
장거리슛.

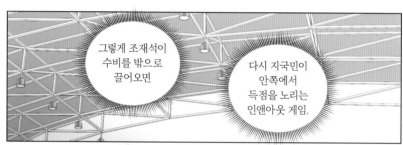

그렇게 조재석이
수비를 밖으로
끌어오면

다시 지국민이
안쪽에서
득점을 노리는
인앤아웃 게임.

하지만

노수민이 지국민을
혼자 상대하면서
꽤 좋은 모습을
보여주고 있고

그런 상황에서도
억지로 점수를 짜내던
조재석마저

2쿼터 막판부터
최종수에게
막히기 시작하면서

점수 차가
줄어들었다.

05 : 44

장도고   원중고

3

47 : 51

이런 상황에선

장도고 멤버 중에선
그나마 수비력이 떨어지는
주찬양 쪽을 박교진이
공략하는 것도 한 가지
방법일 수 있겠는데

주찬양
쟤도 뭐…

안 떤진다.

!

어이쿠

나이스 패스!

굿굿!

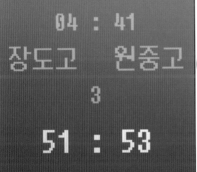

04 : 41

장도고   원중고

3

51 : 53

주찬양 점마는 숏 엄청 아끼네.

방금은 숏 때릴 만했는데.

오늘 3점 하나는 떨졌나?

누구였으면 벌써 여섯 개 난사하고 다섯 개 팅~! 했을 긴데.

그거 니 자유투 얘기나?

예예~ 맞습니다~

저 씨X…

주찬양이 숏을 아끼는 게 이상할 거도 없지.

주찬양이
슛도 잘 안 하고
볼도 잘 안 만지니까
존재감이 희미하기는
해도

잠깐이라도
방심했다가는

바로 3점
헌납이다.

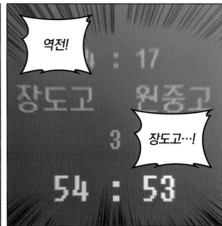

역전!

: 17

장도고   원중고

3   장도고…!

54 : 53

결국엔
리드를 가져왔다!

뭐, 주찬양이
3점 성공률이
암만 높다고 해도

조재석이나…

준수 이상의
슈터는 아이지.

준수도 저만치
숏 골라서 떤지면은
3점 성공률
45프로도 만들 수
있을 거 같은데.

아인가?

흥,

당연하죠.

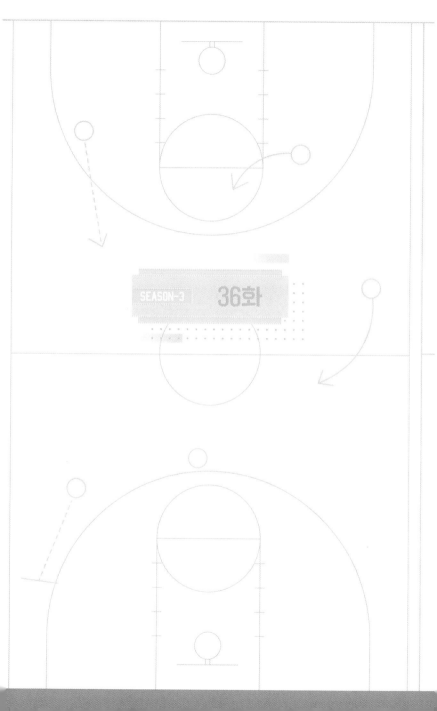

SEASON-3 36화

GARBAGE TIME

최종수는 진짜
보면 볼수록
대단하네.

재석 햄
공격할 때 동선이
엄청 긴데

그거
술래잡기하듯이
쫓아다니면서
수비하느라

완전
지쳤을 텐데도

일대일도
엄청 많이 했고

135

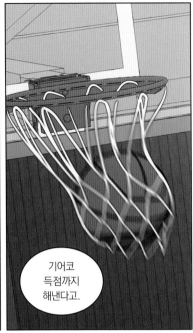

기어코
득점까지
해낸다고.

공격이
그만큼 간결해서
가능한 거겠지,
아무래도….

07 : 54

장도고   원중고

4

73 : 61

영중아,

박스원
그만하고
존 하래.

어.

아이고~
원중고
너무 아깝다.

간만에
장도고 지는 꼴 좀
보나 했는데

!?

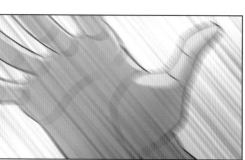

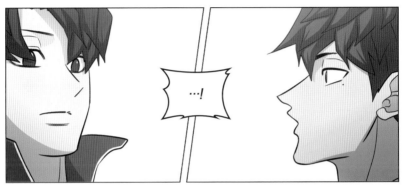

…!

블록슛!!!

역습 찬스!

호잇!

오오옷!!!

역시 전영중!

장도고   원중고

73 : 63

나이스!!!

당하고만 있진
않는다고!

흥.

계속 먹히다
하나 아다리 걸린 거 가지고
유난들이네.

그것도 최종수가 여태 공격 수비 혼자 다 하느라 방전 직전 상태 된 덕분인데.

......

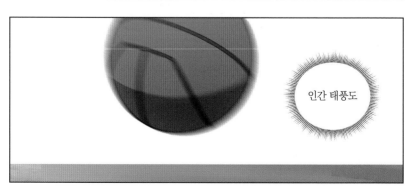

인간 태풍도

아직

기회 있어.

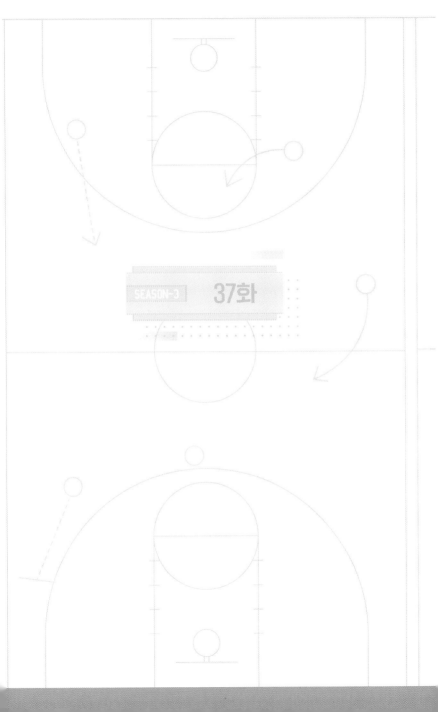

SEASON-3 37화

GARBAGE TIME

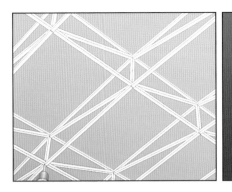

01 : 17

장도고   원중고

4

87 : 80

베이스라인 쪽!

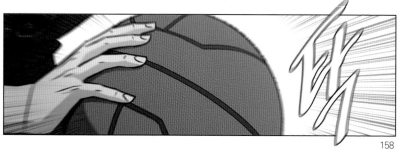

와 씨
뭐야, 이거?

하 오늘 완전
안되는 날이네

어째
흐름이 또 이상하게
원중고 쪽으로
가는데?

이규가
안 터지는 게
너무 크다.

그거 때문에
대놓고 최종수만
집중 견제 당하고
있잖아.

아앗!?

간격 너무 좁혔어!

아니, 재석아!

미스!!!

럭키다!

속공은 늦었어!

……

최종수는

슬슬 한계겠지.

한 번 더...

재석이를
믿어보자.

찬스!

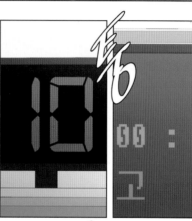

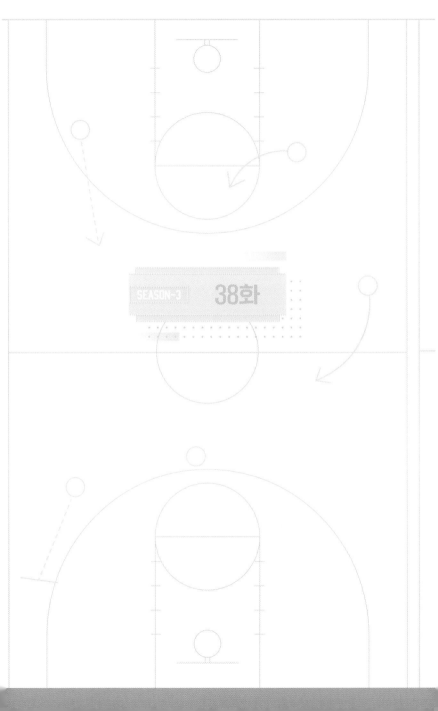

GARBAGE TIME

볼 잡아!

임원 여러분을

00 : 08

장도고　　원중고

4

89 : 85

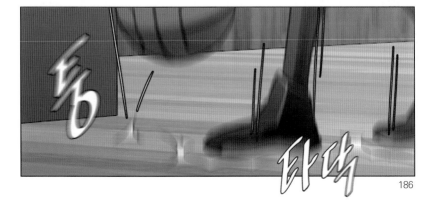

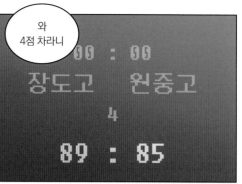

와
4점 차라니

00 : 00

장도고   원중고

4

89 : 85

진짜 아깝다.

원중고가
베스트 멤버로 나왔으면
이겼을지도 모르겠는데?

내 말이.

장도고도
참…

애들
이름값에 비해선
약하단 말이지.

저 멤버면 못해도
15점 차는
만들어야 했어.

야. 승대야.

마지막에 리바운드 잡은 건 패스 돌렸어야지.

뭐 하러 위험하게 슛을 해? 어차피 시간만 끌면 이기는 거였는데.

시간 체크하는 걸 깜빡했어. 미안해~

거짓말인 거 다 알아, 인마.

진짠데.

189

아니, 뭐 어쨌든 넣었으니까 됐잖아.

내가 설마 코앞에서 그걸 놓치겠냐?

너 이따 미팅 때 코치님한테도 그렇게 말해라.

그렇게 진작 쉽게 쉽게 점수 차 벌려놨으면 얼마나 좋아?

4점 차가 뭐야? 지는 줄 알았네, 진짜.

장도고 수비가
빡세긴 하네.

조재석이
저만치 터지고도
85점에 그쳤으니.

장도고 상대론
90점 이상 못 넣으면은

지는 거라
생각하면 된다

이거구마.

최종수에 관한
데이터…

뭐,
공유해줄 수는
있다만

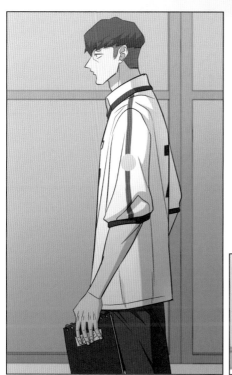

큰 도움이 되진
못할 거다.

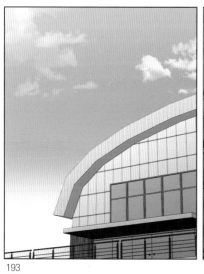

전영중.

너 진짜
개못하더라.

최종수 오늘 아주
날아다니던데?

그냥 무시해, 영중아. 니가 참아.

준수 너도 영중이 쫓아다니면서 괴롭히는 짓 좀 그만둬.

쟤는 왜 또 시비야!?

너네가 어떻게 생각할진 몰라도 난 만족해.

4점 차면 할 만큼 했지, 뭐.

얘기했잖아. 최종수는 못 막는다고.

저 혹시…

뭔가 알게 된 게 있었던 거죠?

게임 후반부엔 최종수의 득점 페이스를 어느 정돈 늦추는 데에 성공한 거처럼 보였어요.

아니.
그런 건
전혀 없었어.

그땐
최종수도 꽤
지쳐 있었고

2쿼터에
수진이 잠깐
나왔을 때처럼

뒷일은 포기하고
최종수만 더블팀 한 건데
그게 운이 좋아서
맞아떨어진 거뿐이야.

그때 말곤 뭐…

계속 농락당했지.

그 자식이 경기 중에 뭐라 한 줄 알아?

'오른쪽으로 가다 멈춰서 점프슛.'

'막아봐.'

그렇게 말해놓고 그대로 득점하더라.

완전히 깔보인 거지, 뭐.

최종수는 왜…

고상언을
따라 하는 거지…?

아무튼
이제 간다.

어디
자신만만해 보이는데
4점 차보다 더
줄일 수 있는지
두고 볼게, 준수야.

현실감각 없는 건
여전하네.

너답다.

너다워.

GARBAGE TIME

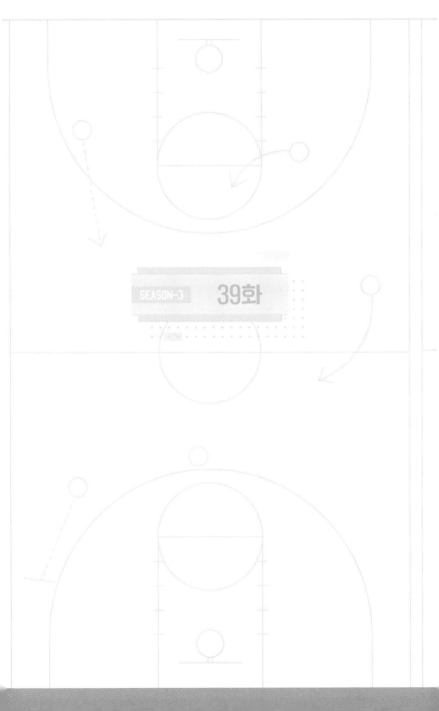

SEASON-3 39화

GARBAGE TIME

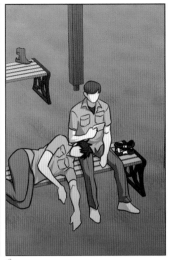

장도고
원중고!!!

끝났어.

게임
시작했습니까!?

207

…초딩 때 좋아하는 여자애랑 짝 된 적 있었음.

대화 한번 해보고 싶어서 무슨 말 해야 할지도 모르면서 일단 말 걸었음.

'혹시…

언더테X커 좋아해?'

ㅋㅋㅋㅋㅋ ㅋㅋㅋㅋㅋㅋ

아씨 저 얘긴 들어도 들어도 개웃기네.

ㅋ·ㅋ·ㅋ

븅X.

와? 언X테이커가 뭔데?

이, 인마 와 우노…!?

그래 아팠나…?

짜슥들이 내일이 결승인데 일찍 일찍 안 자고….

컵라면은 또 누고?

대회 때 아무거나 주워 먹지 마라니까.

김다은 니제?

자는 척하지 마래이.

평소엔 잔머즘도 떠는 눈듣이 희한하게 누워 있네

옆방까지 소리 다 들린다.

짜씩

이 짜슥이…

아, 라면은 공태성이에요!

저 고자질쟁이가…!

니들이 잠이 안 와서 이러는 모양인데

어디 잠 잘 오게 이 동네 열 바퀴 뛰다 들어올까?

어?

아니요….

한 번만 더 소리 들리면은 준수 이 방에서 자라 한다.

죄송합니다.

철컥

…

열 바퀴 뛰기 전에 자자.

열 바퀴는 무슨… 상식적으로 내일이 결승인데 뛰게 하겠나? 걍 하는 말이지.

편안한 밤 되십쇼~!

......

감독님이
장도고 이기려면
90점은 넣어야
된다던데

할 수 있을까요?

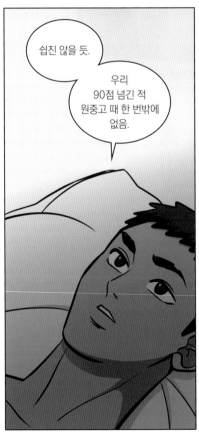

쉽진 않을 듯.

우리
90점 넘긴 적
원중고 때 한 번밖에
없음.

그때처럼
준수 햄 터져서
30점 정도 넣고…

재유 햄
한 30점 넣고

상호랑
태성 햄 다은 햄 합쳐가
30점 정도 넣으면
되지 않나?

말은 쉽지.
장도고 수비
개빡세더만.

원중고도
조재석 아니었으면
준결승에서
70점으로 끝났을걸?

거보다 장도고를
90점 밑으로 막는 게
더 문제지.

그거야 뭐…

최종수한테
35점 준다
치고…

임승대는
25점 정도로
막고…

이규는 20점…

주찬양 15점…
노수민 10점….

붕X아,
그래 하면은
105점 먹히는 거
아이가!?

그리고 무슨
노수민 임승대가
합쳐서 35점인데?

금마들은
25점에서
컷이지.

아 그렇네.

이규 주찬양도
좀 빼셈.

215

장도

만약

최종수를
상대로

일대일
디펜스를 해서

30점 내외로
막을 수 있다면

장도고를
이기는 게
가능할까요?

216

…

가능하다.

하지만

그게
6번을 염두에 두고
하는 말이라면

불가능이다.

최종수와
나머지 고등부 선수들 사이엔
그 정도 레벨 차이가 있어.

…네가
코트를 떠난 동안
농구를 보는 감각이
무뎌진 게 아닌가
걱정스럽구나.

하지만…

상호는

늘…

기대 이상의
변수를 만들어주는
아이였습니다.

남자부 결선 대진표

남고부

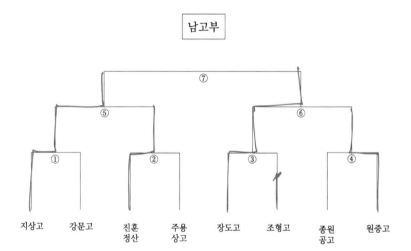

지상고　강문고　진훈정산　주용상고　장도고　조형고　종원공고　원중고

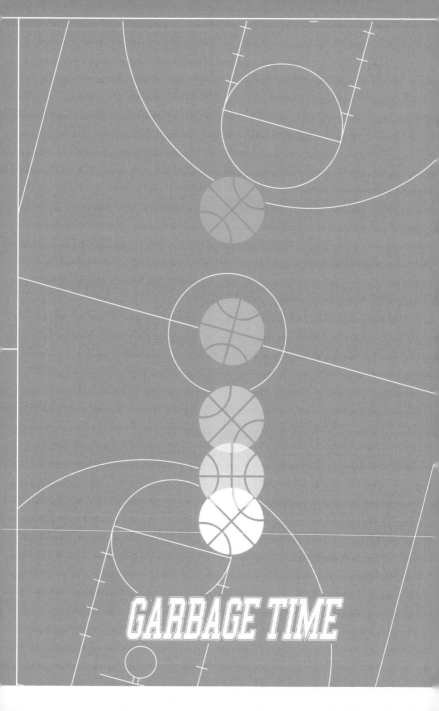
GARBAGE TIME

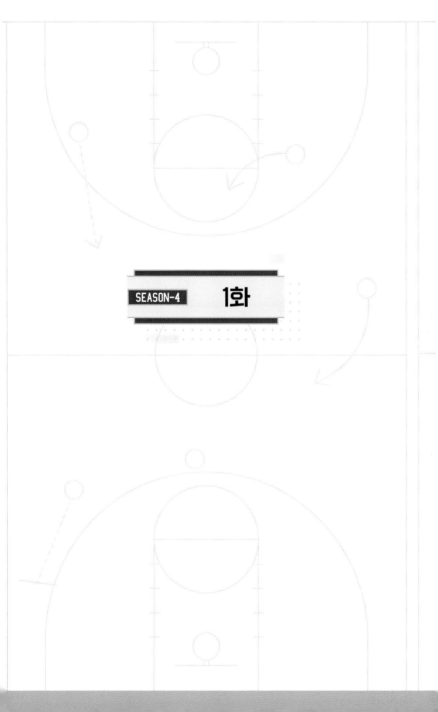

SEASON-4　1화

GARBAGE TIME

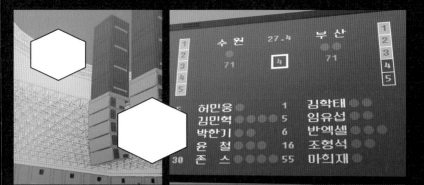

수 원	27.4	부 산	
71		71	

허민웅	1	김학태
김민혁	5	임유섭
박한기	6	반엑셀
윤 철	16	조형석
존 스	55	마희재

시간상…

부산 조선제과
티렉스의 마지막 공격이
될 것 같은데 말이죠.

네.

볼은…

조형석이
직접 몰고 옵니다.

228

—점퍼!

에디 반 엑셀!!!

NBA 출신다운
엄청난 탄력입니다!!!

네.

유력한
신인상 후보다운
플레이입니다.

수 원　　7.1　　부 산

71　　　4　　　73

이렇게 되면
스피드스터스는
다음 공격을 반드시
성공시켜야 하는
상황인데요.

사실상
플레이오프 진출팀을
결정짓는 중요한 경기란
말이죠.

스피드스터스의
작전타임입니다.

준비됐어?

현성이.

드디어…

오늘인가.

인마
어제는 뭐 꿈꾸는 거 같다믄서
긴장 하나도 안 된다더마,
화장실 졸X 자주 오네.

생각했던 거랑은 좀
다르더라고요….

EXIT

어?

기상호.

맞지?

맞는데…

제 이름은
어떻게….

오늘
경기 상대인데
이름도 모를까봐?
그 정도는
공부해놨지.

그나저나
물어볼 게
있는데

박병찬을
완벽하게 틀어막았다는
'상호'가

너 맞아?

뭐…

조금?

손봐줬죠.

나도 놀랐어. 박병찬 같은 은거고수가 있는 줄은 꿈에도 몰랐거든.

박병찬이 보여준 초식, 절초들은…

정말 대단했지.

하지만

종수와 같은 '경지'에 도달하진 못했어.

종수는

고등부에서 유일하게

'초식을 벗어난 경지'에
도달해 있거든.

그의
집념에 가까운
수련으로
도달한 경지지.

하루는
슈팅 5백 개를 목표로 연습하다가
4백몇 번째에서 숫자 세는 걸
까먹었는데

그게 찜찜하다고
밤을 새워가면서
오백 개를 처음부터
다시 던지더라니까.

뭐 아무튼,

그러니까 오늘
종수한테 40~50점을
주게 되더라도

너무
낙심할 필요
없어.

종수를
미워할 필요도
없고.

누구나
그러니까.

뭐라노, 저
빡빡이 자슥.

니 저런 말
다 알제?

해석 쫌
해봐라.

몰라요, 저도.
장르가 달라서….

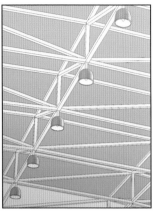

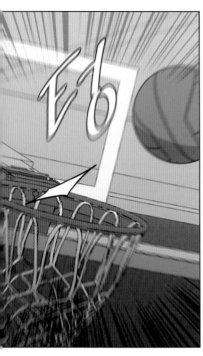

과성여고　　명운여고

우승 축하해요

우리 쪽 벤치가
이겼다

나가자.

우리 차례다.

15권에서 계속

250

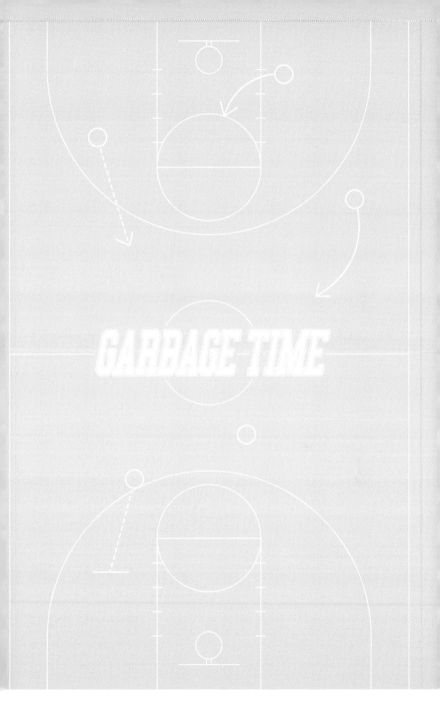

가비지타임 14

초판 1쇄 발행 2024년 5월 1일
초판 2쇄 발행 2024년 6월 10일

지은이 2사장
펴낸이 김선식

부사장 김은영
제품개발 정예현, 윤세미 **디자인** 정예현, 정지혜(본문조판)
웹툰/웹소설사업본부장 김국현
웹소설팀 최수아, 김현미, 심미리, 여인우, 이연수, 장기호, 주소영, 주은영
웹툰팀 이주연, 김호애, 변지호, 안은주, 임지은, 조효진, 최하은
IP제품팀 윤세미, 설민기, 신효정, 정예현, 정지혜
디지털마케팅팀 김국현, 김희정, 신혜인, 이소영
디자인팀 김선민, 김그린
저작권팀 한승빈, 윤제희, 이슬
재무관리팀 하미선, 김재경, 윤이경, 이보람, 임혜정 **제작관리팀** 이소현, 김소영, 김진경, 박예찬, 이지우, 최완규
인사총무팀 강미숙, 김혜진, 지석배, 황종원 **물류관리팀** 김형기, 김선민, 김선진, 전태연, 주정훈, 양문현, 이민운, 한유현
외부스태프 하마나(본문조판)

펴낸곳 다산북스 **출판등록** 2005년 12월 23일 제313-2005-00277호
주소 경기도 파주시 회동길 490
전화 02-702-1724 **팩스** 02-703-2219 **이메일** dasanbooks@dasanbooks.com
홈페이지 www.dasan.group **블로그** blog.naver.com/dasan_books
종이 더온페이퍼 **출력·인쇄·제본** 상지사 **코팅·후가공** 제이오엘엔피

ISBN 979-11-306-5184-2 (04810)
ISBN 979-11-306-5170-5 (SET)

다산북스(DASANBOOKS)는 독자 여러분의 책에 관한 아이디어와 원고 투고를 기쁜 마음으로 기다리고 있습니다.
책 출간을 원하는 아이디어가 있으신 분은 다산북스 홈페이지 '원고투고'란으로 간단한 개요와 취지, 연락처 등을 보내주세요.
머뭇거리지 말고 문을 두드리세요.